RÉCRÉATION

Texte original de Ruth Thomson
Photographies de Mike Galletly

D1477656

GRÜND

Jouez avec nous

Jeannot
lapin

Jo
le clown

Sarah la poupée

puzzle

appareil photo

Nounours

Annie
la poupée
de chiffon

locomotive et wagons

boîte aux lettres

Dans la cabane

marteau

tournevis

radio

poêle à frire

règle

pinces

clé plate

boulons
et écrous

casserole

téléphone

À la plage

râteau

tamis

ballon

drapeau

pelle

lunettes
de soleil

voilier

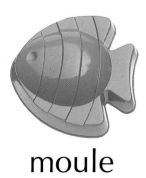

moule

seau

benne

Imaginez...

emporte-pièce

perroquet

plumier

rouleau à pâtisserie

sifflet

cahier

casquette

craies

lunettes de moto

coffre

À l'hôpital

raisin

médicament

feuille de
température

sparadrap

gaze

Bon
rétablissement !

ciseaux

thermomètre

coton

bouillotte

Au jardin

bottes

fourche
à main

brouette

fleur

pot de fleurs

chaise
longue

pelle

graines

ficelle

arrosoir

Bon anniversaire !

ballon

mirliton

gâteau
d'anniversaire

assiette

cake

chapeau

serpentin

tasse

sandwich

cadeau

L'heure du bain

essuie-mains

talc

canard

savon

dauphin

serviette
de bain

shampoing

éponge

brosse à cheveux

bateau

Avant de se coucher

miroir

chemise
de nuit

robe
de chambre

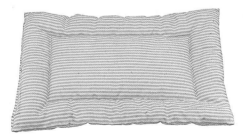

édredon

oreiller

tableau

biberon

fauteuil
à bascule

pantoufles

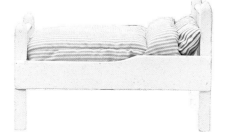

lit

GARANTIE DE L'ÉDITEUR

Adaptation française de Jeanne Castoriano
Texte original de Ruth Thomson

Première édition française 1991 par Librairie Gründ, Paris
© 1991 Librairie Gründ pour l'adaptation française
ISBN : 2-7000-4204-2
Dépôt légal : avril 1991
Édition originale 1988 par Conran Octopus Limited
sous le titre original *Playtime*
© 1988 Conran Octopus Limited
Photocomposition : Graphic and Co, Paris
Imprimé à Hong Kong